au menu

Tout sur les légumes

Vic Parker

Texte français d'Ann Lamontagne

Éditions
SCHOLASTIC

Édition publiée par les Éditions Scholastic,
604, rue King Ouest, Toronto (Ontario) M5V 1E1.

5 4 3 2 1   Imprimé en Chine CP141   10 11 12 13 14

Catalogage avant publication de Bibliothèque
et Archives Canada

Parker, Victoria

Tout sur les légumes / Vic Parker ;
texte français d'Ann Lamontagne.

(Au menu)
Traduction de: All about vegetables.
Pour les 6-9 ans.
ISBN 978-1-4431-0116-5

1. Légumes--Ouvrages pour la jeunesse.
I. Lamontagne, Ann II. Titre. III. Collection: Au menu

TX401.P3714 2010   j641.3'5   C2009-904928-7

Auteure : Vic Parker
Conceptrice graphique : Kim Hall
Illustrateur : Mike Byrne
Directrice artistique : Zeta Davies

Les mots en **caractères gras**
figurent dans le glossaire
de la page 22.

Table des matières

Qu'est-ce qu'un légume?

**Un légume est
une plante comestible.**

Il existe plusieurs sortes
de légumes dont les
pommes de terre, les pois,
les carottes et les courgettes.

Pommes
de terre

Courgettes

Pois

Carottes

Les légumes ont des formes et
des tailles variées. La laitue et le chou
sont ronds et feuillus.

Chou

Laitue

Il te faut
....
• une coquille d'œuf
• de la ouate
• des stylos-feutres
• des graines de cresson
• un coquetier
• de l'eau

Fais pousser... du cresson

1 Remplis la partie évasée de la coquille avec de la ouate.

2 Dessine-lui un visage à l'aide de stylos-feutres et mets-la dans le coquetier.

3 Imbibe la ouate d'eau et dépose les graines de cresson dessus.

4 Arrose les graines chaque jour et tu verras les « cheveux» de ton œuf pousser.

Le poireau pousse hors de terre,
tandis que la partie de l'oignon
et de la betterave que nous
mangeons pousse sous terre.

Poireau

Betterave

Oignon

5

D'où viennent les légumes?

Les légumes viennent de différentes régions du monde.

Les légumes ont besoin de conditions précises pour pousser. Certains demandent beaucoup de lumière et peu d'eau. Ils poussent mieux dans les pays chauds.

D'autres, au contraire, ont besoin de beaucoup d'eau. Ils poussent mieux dans les régions pluvieuses.

Amérique du Nord

Amérique du Sud

La courgette est cultivée dans les régions chaudes d'Amérique du Nord.

6

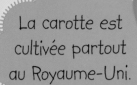

La carotte est cultivée partout au Royaume-Uni.

La betterave, très répandue en Europe de l'Est, se développe sous un climat frais et humide.

Europe

Asie

Afrique

La pomme de terre est la reine des légumes d'Australie. C'est aussi le légume le plus cultivé dans le monde.

Océanie

Le gombo qu'on ajoute aux ragoûts, aux soupes et aux caris pousse bien sous le climat chaud et sec d'Afrique et des Caraïbes.

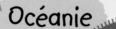

La culture des pois est très répandue en Grèce et en Turquie où l'on s'en sert dans les soupes et les ragoûts.

Manger des légumes

Tu peux manger les légumes crus ou cuits selon le moment de la journée.

Au dîner, déguste une salade de légumes crus ou un bortch, célèbre potage russe à base de betteraves.

Au déjeuner, tu peux prendre une **omelette** aux champignons.

Et au souper, mange un plat de légumes sautés à la chinoise avec une portion de viande, de poulet ou de poisson.

Les végétariens ne mangent ni viande ni poisson. Dans les pays comme l'Inde, on ajoute souvent des épices aux plats pour rendre les légumes encore plus savoureux.

⇧ Le chou-fleur est un légume que l'on retrouve souvent dans les plats indiens.

Il te faut

- 1 grande croûte de pizza
- 2 c. à soupe de pâte de tomate
- 1 oignon coupé en rondelles
- 5 gros champignons tranchés
- 1 poivron rouge tranché
- 150 g de fromage râpé
- une plaque à pizza

Prépare une...
pizza aux légumes

1 Demande à un adulte de préchauffer le four à 200 °C/400 °F.

2 Étends la pâte de tomate sur la croûte de pizza.

3 Dépose les légumes tranchés dessus et saupoudre-les de fromage râpé.

4 Demande à un adulte de placer la pizza sur la plaque et de la mettre au four de 10 à 15 minutes ou jusqu'à ce que le fromage soit doré.

Les légumes et la santé

Les légumes contiennent beaucoup de vitamines et de minéraux dont tu as besoin pour rester en bonne santé.

Le brocoli fait partie des légumes riches en fer qui sont bons pour ton sang et ton **système nerveux**.

Le chou-fleur contient des **fibres** qui aident ton corps à se débarrasser de ses déchets.

La vitamine C contenue dans les carottes te protège des maladies et permet à ton corps d'**absorber** le fer des aliments que tu manges.

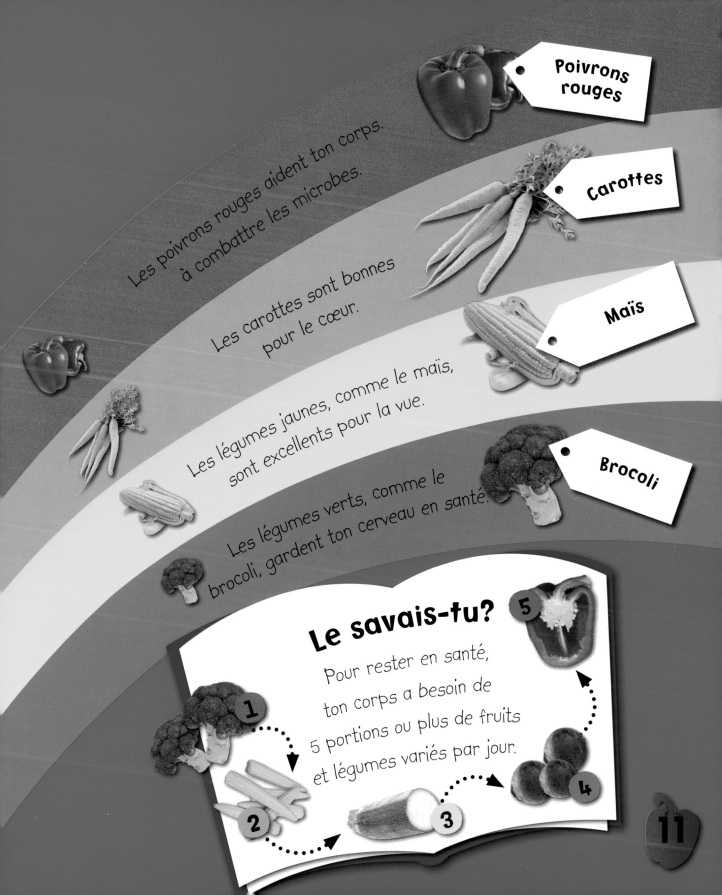

Poivrons rouges

Carottes

Maïs

Brocoli

Les poivrons rouges aident ton corps. à combattre les microbes.

Les carottes sont bonnes pour le cœur.

Les légumes jaunes, comme le maïs, sont excellents pour la vue.

Les légumes verts, comme le brocoli, gardent ton cerveau en santé.

Le savais-tu?

Pour rester en santé, ton corps a besoin de 5 portions ou plus de fruits et légumes variés par jour.

1

2

3

4

5

11

La culture du petit pois

Pois

Les pois ont besoin de compost **pour pousser, car il leur faut un sol léger et riche.**

1 Les graines peuvent être semées ou plantées en rangée directement dans la terre entre mars et juin.

Les plants doivent être arrosés souvent. Les **gousses** étant assez lourdes, il est important de mettre des tuteurs ou des filets pour supporter les plants.

2

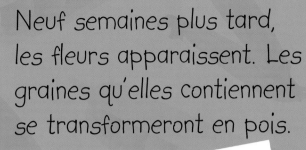

3 Neuf semaines plus tard, les fleurs apparaissent. Les graines qu'elles contiennent se transformeront en pois.

La **récolte** se fait environ trois semaines plus tard. Les agriculteurs utilisent des machines qui ramassent les plants.

4

5 Une partie des pois est directement envoyée dans les épiceries. La majorité est écossée pour être congelée ou mise en conserve.

Déguste... un petit pois cru

Ouvre une gousse et fais sortir les petits pois; ils sont sucrés et savoureux.

La culture de la carotte

Les carottes n'aiment pas pousser là où il y a des mauvaises herbes.

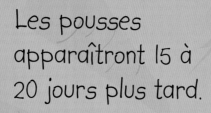

1 On peut semer ou planter les carottes à partir de la mi-février jusqu'en juillet.

Les pousses apparaîtront 15 à 20 jours plus tard.

2

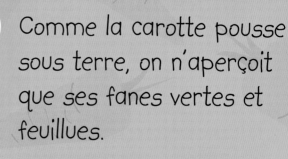

3 Comme la carotte pousse sous terre, on n'aperçoit que ses fanes vertes et feuillues.

4 Entre juin et octobre, quand les fanes commencent à se **flétrir**, c'est que le temps de la récolte est arrivé.

Des machines spéciales retirent les carottes du sol.

5

6 Une partie de la récolte est vendue en épicerie, l'autre est congelée ou mise en conserve.

Le savais-tu?

Si tu mets des fanes de carotte dans l'eau, en quelques jours de nouvelles feuilles apparaîtront.

15

Courgettes

Fais pousser des courgettes

Les courgettes peuvent être semées ou plantées entre le mois de mars et la fin de mai.

Il te faut

- un petit pot de compost
- un pot moyen de compost
- un grand seau de compost. Demande à un adulte d'en percer le fond.
- une graine de courgette
- un arrosoir

1

Pose la graine de courgette sur le côté dans le plus petit pot. Arrose-la et place le pot dans un endroit ensoleillé.

2

Lorsque les racines sortent par en dessous, mets le plant dans le deuxième pot. Arrose-le et place-le dehors s'il fait assez chaud.

16

3 Attends deux mois, retire délicatement le plant de son pot et plante-le dans le seau.

Quand les courgettes auront atteint environ 10 cm, cueille-les. D'autres courgettes continueront à pousser, alors continue d'arroser la terre chaque jour.

4

Goûte à... une fleur de courgette

Hache-la finement et ajoute-la à ta salade ou à un plat de pâtes.

La culture de la pomme de terre

Les pommes de terre ont besoin de soleil pour pousser.

1 Les vieilles pommes de terre germent. Plantées au printemps, elles se mettent à pousser.

La pomme de terre pousse sous terre, ne laissant voir que ses fanes.

2

3 Après quelques semaines, quand les fanes jaunissent, c'es le temps de la récolte. Celle-ci peut avoir lieu du début de l'éte à la fin de l'automne.

18

4 Chaque plant produit plusieurs pommes de terre. Elles sont récoltées par des machines qui les sortent du sol.

La majorité des pommes de terre sont vendues fraîches dans les épiceries. On transforme les autres en usine pour en faire, entre autres, des frites et des croustilles.

5

King Edward

Le savais-tu?

Il existe des milliers de variétés de pommes de terre dont le goût et la forme diffèrent légèrement. Elles portent des noms comme King Edward, Maris Piper, Rooster ou Désirée.

Rooster

Maris Piper

Désirée

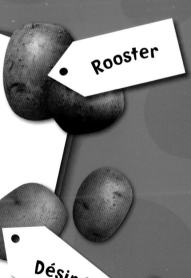

Fais des courgettes bateaux

Cette recette de courgettes est aussi bonne au goût que pour la santé.

Il te faut

- 2 c. à soupe d'huile végétale
- 2 grosses courgettes
- 1 oignon finement haché
- 6 tomates finement hachées
- 3 petits champignons hachés
- 2 gousses d'ail finement hachées
- 2 c. à soupe de panure
- 2 c. à soupe de parmesan râpé
- du sel et du poivre
- un couteau
- une petite cuillère
- une poêle
- une cuillère en bois
- un petit bol à mélanger
- un plat graissé allant au four

1

Préchauffe le four à 180 °C/350 °F. Coupe les courgettes en deux dans le sens de la longueur et vide-les. Garde la pulpe.

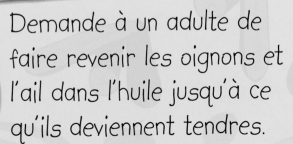

2

20

Demande à un adulte de faire revenir les oignons et l'ail dans l'huile jusqu'à ce qu'ils deviennent tendres.

3 Ajoute la pulpe des courgettes, les champignons, les tomates, du sel et du poivre. Laisse cuire 5 minutes.

Mélange la panure et le fromage râpé.

4

5

Place les courgettes dans le plat allant au four. Remplis-les avec les légumes sautés, et saupoudre la préparation de panure et de fromage.

Demande à un adulte de mettre le plat au four. Fais cuire 30 minutes et sers immédiatement.

6

Glossaire

Absorber
Faire entrer en soi.

Compost
Débris organiques riches en substances nutritives. Ajoutés à la terre, ils la rendent plus fertile.

Fibres
Filaments qui se trouvent dans les légumes et que le corps ne peut transformer. Une fois ingérées, les fibres s'imbibent d'eau et facilitent l'évacuation des déchets.

Flétrir
Quand une plante vieillit ou qu'elle manque d'eau, elle penche et perd sa fraîcheur. On dit alors qu'elle se flétrit.

Gousse
Enveloppe longue et plate qui contient les graines d'un plant de pois.

Omelette
Mets fait avec des œufs battus cuits à la poêle auxquels on ajoute souvent des champignons, du jambon et du fromage.

Récolte
Action de cueillir ou de ramasser les produits de la terre.

Système nerveux
Le principal système de contrôle du corps composé du cerveau et du réseau de nerfs.

Notes aux parents et aux enseignants

- Présentez plusieurs aliments aux enfants, puis montrez-leur les légumes frais et faites-leur remarquer leur couleur, leur taille, leur forme et leur texture.

- Expliquez ce dont chaque légume a besoin pour se développer. Ensuite, avec les enfants, situez les pays qui produisent ces légumes sur une carte géographique ou un globe terrestre.

- Cherchez des photographies de légumes à différents stades de leur développement. Choisissez-en une que les enfants pourront dessiner et identifiez chaque partie de la plante (racines, tige, branches, feuilles et légumes).

- Parlez-leur des légumes que l'on peut manger crus et de ceux qui doivent être cuits, des parties qui sont comestibles et de celles qui ne le sont pas. Montrez-leur des légumes transformés, en conserve ou congelés.

- Expliquez aux enfants pourquoi notre corps a besoin de légumes, pourquoi il est souhaitable que ces légumes soient variés et combien on devrait en consommer chaque jour.

- Montrez-leur comment intégrer différents légumes aux mets cuisinés. Proposez-leur de créer un livre de recettes faciles à réaliser, à base de légumes du monde entier, illustré de photographies.

Index